Jeff Kinney

GREGS und mein TAGEBUCH

Mach's wie Greg!

Schreib HIER rein!

Aus dem Englischen von Colin McMahon

BAUM HAUS

BAUMHAUS TASCHENBUCH
Band 1107

Dieser Titel ist auch als Hörbuch und E-Book erschienen

Vollständige Taschenbuchausgabe
der im Baumhaus Verlag erschienenen Hardcoverausgabe

Die englischsprachige Originalausgabe erschien erstmals 2011.
Titel der amerikanischen Originalausgabe:
»DIARY OF A WIMPY KID – DO-IT-YOURSELF BOOK«
Originalverlag:
Amulet Books, an Imprint of Harry N. Abrams, Inc., New York

Text und Illustrationen: Jeff Kinney
Original-Buchdesign: Jeff Kinney
Original-Coverdesign: Chad W. Beckerman/Jeff Kinney

Für die deutschsprachige Ausgabe:
Copyright © 2011/2019 by Bastei Lübbe AG, Köln

Umschlaggestaltung: Kirstin Osenau
unter Verwendung einer Illustration von Jeff Kinney
Satz: Helmut Schaffer, Hofheim a. Ts.
in Anlehnung an das amerikanische Original
Druck und Verarbeitung: CPI books GmbH, Leck – Germany

ISBN 978-3-8432-1107-9

2 4 6 8 7 5 3 1

Sie finden uns im Internet unter www.baumhaus-verlag.de
Bitte beachten Sie auch www.luebbe.de und www.gregstagebuch.de

Dieses Buch gehört:

_____

Bitte an diese Adresse zurücksenden,
falls es irgendwo gefunden wurde:

_____

_____

(Keine Belohnung)

Was sollst du jetzt mit diesem Ding anstellen?

Also, das Buch gehört jetzt dir, und so kannst du im Grunde damit machen, was du willst.

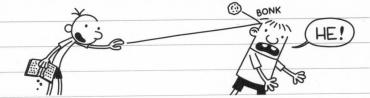

Wenn du aber wirklich anfängst, deine Memoiren zu schreiben, solltest du gut darauf aufpassen. Denn eines Tages werden alle wissen wollen, wie du als Kind so warst.

Aber pass bloß auf, dass du nichts über deine "Gefühle" oder so was schreibst. Denn eins ist ja wohl klar: Das ist KEIN Tagebuch, sondern deine Memoiren.

Deine Liste für die

Wenn du den Rest deines Lebens auf einer einsamen Insel verbringen müsstest, was würdest du mitnehmen?

Videospiele

1.
2.
3.

Lieder

1.
2.
3.

EINSAME INSEL

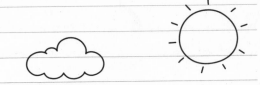

Bücher

1.
2.
3.

Filme

1.
2.
3.

Hast du

Hast du schon mal wegen einer bescheuerten neuen Frisur die Schule geschwänzt?

JA ☐ NEIN ☑

Hast du schon mal einem Erwachsenen den Rücken mit Sonnencreme einschmieren müssen?

JA ☑ NEIN ☐

Bist du schon mal von einem Tier gebissen worden?

JA ☑
NEIN ☐

Bist du schon mal von einem Menschen gebissen worden?

JA ☑
NEIN ☐

Hast du schon mal versucht, mit dem Mund voller Rosinen Spuckeblasen zu machen?

JA ☐ NEIN ☑

schon mal ...

Hast du schon mal ins Schwimmbad gepieselt?

JA ☑ NEIN ☐

Hast du schon mal einen Kuss auf den Mund von einem Verwandten gekriegt, der älter als 70 war?

JA ☑ NEIN ☐

Bist du schon mal von den Eltern eines Freundes vorzeitig nach Hause geschickt worden?

JA ☐ NEIN ☑

Hast du schon mal eine Windel wechseln müssen?

KANNST DU MIR HELFEN?

JA ☐ NEIN ☑

PERSÖNLICHKEITS-

Welches ist dein LIEBLINGSTIER?

_____

Beschreibe in VIER ADJEKTIVEN
(WIE-WÖRTER), was du an diesem Tier magst:

(z.B. freundlich, cool usw.)

_____   _____

_____   _____

Welches ist deine LIEBLINGSFARBE?

_____

Beschreibe in VIER ADJEKTIVEN,
was du an dieser Farbe magst:

_____   _____

_____   _____

So wie du dein LIEBLINGSTIER beschreibst, siehst du
DICH SELBER. So wie du deine LIEBLINGSFARBE
beschreibst, sehen dich ANDERE LEUTE.

TEST

DREH DAS BUCH UM, NACHDEM DU DIESE FRAGEN BEANTWORTET HAST, UM MEHR ÜBER DICH ZU ERFAHREN.

Welches BUCH hast du zuletzt gelesen?

Beschreibe in VIER ADJEKTIVEN, wie du dieses Buch gefunden hast:

Wie heißt dein LIEBLINGSFILM?

Beschreibe in VIER ADJEKTIVEN, wieso dir dieser Film gefällt:

So wie du dein LETZTES BUCH beschreibst, siehst du DIE SCHULE. So wie du deinen LIEBLINGSFILM beschreibst, wirst du IN 30 JAHREN sein.

Wie geht der

HEISSA, MAMA!

COMIC weiter?

HEISSA, MAMA!

COMICS

SELBER machen

Was hast du

im HIRN?

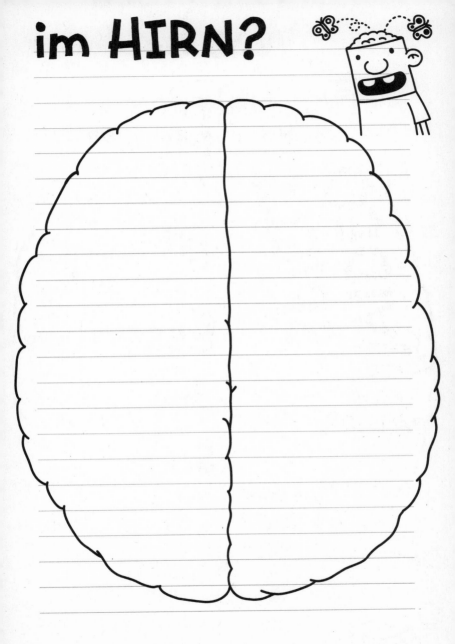

13

Sage die

Hiermit sage ich offiziell voraus, dass in 20 Jahren die Autos mit _____ statt Benzin fahren werden. Ein Hamburger wird ____ Euro kosten, eine Kinokarte _____ Euro. Haustiere werden ihren eigenen _____ haben. Unterhosen werden aus _____ gemacht werden. Es wird kein _____ mehr geben. Ein _____ namens _____ wird Präsident sein. Es wird mehr _____ als Menschen geben.

Der nervigste Spruch des Tages wird lauten:

_____

_____

ZUKUNFT voraus

Außerirdische werden im Jahr _____
die Erde besuchen und Folgendes ankündigen:

_____

_____

_____

BROKKOLI WAR NIE ZUM ESSEN GEDACHT!

WUSST ICH'S DOCH!

Worüber alte Leute in 20 Jahren am lautesten
schimpfen werden: _____

_____

_____

VERFLUCHTE MODERNE TECHNIK!

SURRRRR

Sage die

IN FÜNFZIG JAHREN ...

... werden Menschen und Roboter um die Vorherr-
schaft kämpfen.   RICHTIG ☐   FALSCH ☐

... gilt für Eltern im Umkreis von zehn Metern von
ihren Kindern absolutes Tanzverbot.

RICHTIG ☐   FALSCH ☐

... werden wir SMS-Chips im Hirn eingepflanzt haben.

RICHTIG ☐   FALSCH ☐

ZUKUNFT voraus

Deine fünf unglaublichsten Vorhersagen für die
Zukunft:

1.

2.

3.

4.

5.

SCHREIB ALLES AUF,
DAMIT DU SPÄTER SAGEN KANNST:
„ICH HAB'S DOCH GESAGT."

Sage DEINE

Beantworte die Fragen, damit du sie später
als Erwachsener nachlesen kannst!

WENN ICH 30 BIN ...

... lebe ich _____ Kilometer von zu Hause.

... bin ich: VERHEIRATET ☐   SINGLE ☐

... habe ich _____ Kinder und einen
_____ namens _____ .

... arbeite ich als _____ und verdiene
_____ im Jahr.

... lebe ich in einem _____
auf einem _____

... nehme ich jeden Tag ein _____
mit zur Arbeit.

ZUKUNFT voraus

... bin ich _____ Meter und _____ Zentimeter groß.

... habe ich dieselbe Frisur wie jetzt.
WAHR ☐   FALSCH ☐

... habe ich denselben besten Freund wie jetzt.
WAHR ☐   FALSCH ☐

... werde ich total fit sein.
WAHR ☐   FALSCH ☐

... werde ich dieselbe Musik hören wie jetzt.
WAHR ☐   FALSCH ☐

... werde ich _____ Länder besucht haben.

Was sich an mir am meisten verändert haben wird:

_____

_____

_____

Sage DEINE

Einfach würfeln und wegstreichen, worauf du landest.
Etwa so:

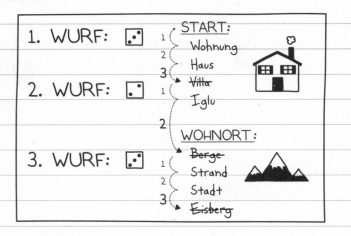

1. WURF:	🎲	1	**START:**
		2	Wohnung
		3	Haus
2. WURF:	🎲	1	~~Villa~~
			Iglu
		2	
			WOHNORT:
3. WURF:	🎲	1	~~Berge~~
		2	Strand
			Stadt
		3	~~Eisberg~~

Würfel dich von oben nach unten durch die Liste.
Wenn du am Ende bist, fängst du wieder von vorn an.
Wenn in einer Rubrik nur noch ein Eintrag übrig ist,
kreise ihn ein. Wenn du in jeder Rubrik einen Eintrag
umkreist hast, weißt du, wie deine Zukunft aussieht!
Viel Glück!

ICH HASSE
MEIN LEBEN.

Zukunft voraus

ZUHAUSE:
Wohnung
Haus
Villa
Iglu

WOHNORT:
Berge
Strand
Stadt
Eisberg

KINDER:
Keine
Eins
Zwei
Zehn

HAUSTIER:
Hund
Katze
Vogel
Schildkröte

BERUF:
Arzt
Schauspieler
Clown
Mechaniker
Anwalt
Pilot
Profisportler
Zahnarzt
Zauberer
Such dir was aus

FAHRZEUG:
Auto
Motorrad
Hubschrauber
Skateboard

VERDIENST:
100 € im Jahr
100.000 € im Jahr
1 Million € im Jahr
100 Millionen € im Jahr

GREG HEFFLEYS TRAUMHAUS

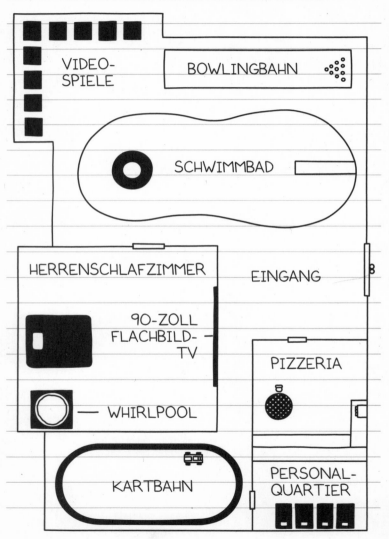

VIDEO-
SPIELE

BOWLINGBAHN

SCHWIMMBAD

HERRENSCHLAFZIMMER

EINGANG

90-ZOLL
FLACHBILD-
TV

PIZZERIA

WHIRLPOOL

KARTBAHN

PERSONAL-
QUARTIER

TRAUMHAUS

DEIN TRAUMHAUS

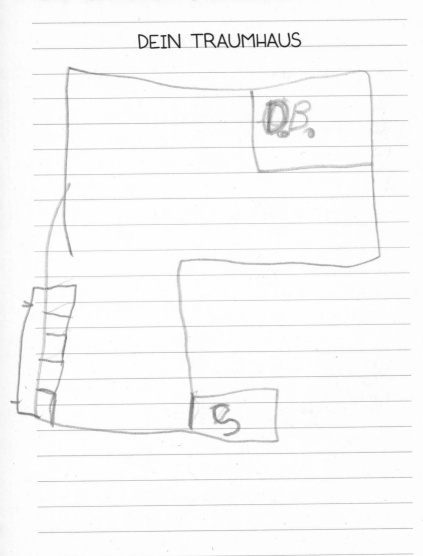

GALERIE

SCHLÄFT IM
UNTERRICHT EIN

KANN KEIN
BLUT SEHEN

WIRD MAL
MILLIONÄR

WIRD IM REALITY-TV
AUFTRETEN

deiner Freunde

WIRD MAL PRÄSIDENT/
BUNDESKANZLER

KOMMT AUS VERSEHEN
IM SCHLAFANZUG
IN DIE SCHULE

WIRD IM ZIRKUS
AUFTRETEN

WIRD MAL EINEN WELT-
REKORD AUFSTELLEN

25

Ein paar Fragen

Was ist die peinlichste Geschichte, die einem Bekann-
ten (nicht dir) je passiert ist?

Was ist das Ekelhafteste, das du je gegessen hast?

Wie viele Schritte brauchst du bis zum Bett, nachdem
du das Licht ausgemacht hast?

Wie viel würdest du zahlen, um jeden
Morgen eine Stunde länger schlafen
zu können?

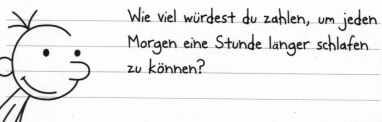

von GREG

Hast du dich schon mal krank gestellt, um die Schule zu schwänzen?

Nervt es dich, wenn andere hüpfen?

Hast du schon mal etwas Schlimmes angestellt, ohne erwischt zu werden?

Wie geht der

Egon der Hässliche

Hallo, ich heiße Egon.

Du bist hässlich.

Gar nicht.

Hallo, willst du mit mir gehen?

Niemals, du bist viel zu hässlich.

Stimmt nicht.

Doch, bist du. Guck mal in den Spiegel.

Na gut.

Menno.

COMIC weiter?

Egon der Hässliche

COMICS

SELBER machen

Was wäre dir

☐ In der Badewanne schlafen
☑ Bei deinen Eltern schlafen

☐ Den Rest
deines Lebens dasselbe essen
☑ Den Rest deines Lebens
dasselbe im TV sehen

☐ Unsichtbar sein, aber immer nur
10 Sekunden lang
☑ Fliegen können, aber nur
einen halben Meter hoch

☑ Ein Monat ohne Fernsehen
☐ Ein Monat ohne Internet

☑ Eine Nacht in einem Geisterhaus
☐ Eine Minute in einem Raum voller Spinnen

☐ Die Hauptrolle in einem miesen Film
☑ Eine Statistenrolle in einem super Film

LIEBER?

☐ Jedes Jahr dasselbe Halloweenkostüm tragen
☑ Eine Woche dieselben Socken tragen

SCHMATZ
SCHLING

☑ Den Nachbarn für die Schulspenden-
aktion Schokolade verkaufen
☐ Einen Monat ohne Süßigkeiten

☐ So berühmt sein,
dass jeder dich kennt
☑ In Ruhe und Frieden
leben können

☑ Die Zukunft vorhersehen können
☐ In die Vergangenheit sehen können

☐ Vom Duschen und Baden befreit sein
☑ Von Hausaufgaben befreit sein

SOAP

☐ Alle Musik der Welt umsonst
☑ Alle Videospiele der Welt
umsonst

CHIPS

Ein paar Tipps

1. Nicht im zweiten Stock aufs Klo gehen.
Die Kabinen haben nämlich keine Türen.

2. Such dir gut aus, neben wem du im Speisesaal sitzt.

3. Nicht in der Nase bohren, wenn Klassenfotos gemacht werden.

für unsere Schule

1.

2.

3.

4.

Zeichne deine FAMILIE

so, wie Greg Heffley zeichnet

Dein FAMILIEN-

Wie viele Generationen deiner Familie
kannst du zurückverfolgen?

OMAMA OPAPA MIMI PAPI REMUS LULU WILLIAM HELEN

OMI OPI OPA NANA

MOM DAD

GREG

STAMMBAUM

Male hier deinen EIGENEN Stammbaum auf!

Deine LIEBLINGE

Fernsehsendung:

Musikgruppe:

Sportmannschaft:

Speise:

Promi:

Geruch:

Bösewicht:

Schuhmarke:

Geschäft:

Limo:

Müsli:

Superheld:

Süßigkeit:

Restaurant:

Sportler:

Spielkonsole:

Comic:

Zeitschrift:

Auto:

Deine HASSKANDIDATEN

Fernsehsendung:

Musikgruppe:

Sportmannschaft:

Speise:

Promi:

Geruch:

Bösewicht:

Schuhmarke:

Geschäft:

Limo:

Müsli:

Superheld:

Süßigkeit:

Restaurant:

Sportler:

Spielkonsole:

Comic:

Zeitschrift:

Auto:

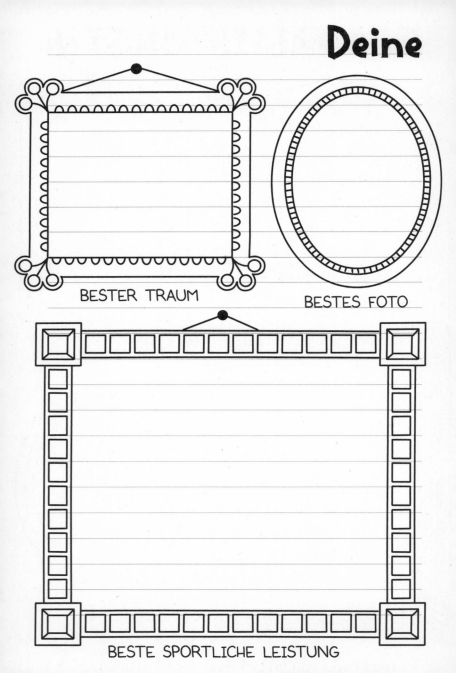

Deine

BESTER TRAUM

BESTES FOTO

BESTE SPORTLICHE LEISTUNG

GLANZLEISTUNGEN

WITZIGSTER SPRUCH

COOLSTE
AUSZEICHNUNG

BESTES ESSEN

BESTES
HALLOWEENKOSTÜM

Was du gemacht haben

☐ Die ganze Nacht aufbleiben.

☐ Eine Achterbahn mit Looping fahren.

☐ Eine Tortenschlacht mitmachen. BATZ

☐ Das Autogramm eines Promis kriegen.

☐ Beim Minigolf mit nur einem Schlag
den Ball versenken.

☐ Dir selber die Haare schneiden.

☐ Eine neue Erfindung aufschreiben.

☐ Drei Nächte hintereinander nicht zu Hause schlafen.

☐ Einen Brief mit Briefmarke und
allem Drum und Dran verschicken.

Liebe Omi, schick mir Geld.

ES SIND NUR NOCH EIN PAAR!

solltest, bevor du alt bist

☐ Draußen übernachten.

☐ Ein ganzes Buch ohne Bilder lesen.

☐ Einen Wettlauf gegen einen Älteren gewinnen.

☐ Einen Stundenlutscher ganz lutschen, ohne ihn vorher zu zerkauen.

☐ Auf ein Dixi-Klo gehen.

KLOPF KLOPF

BESETZT!

☒ Bei einem Mannschaftssport ein Tor schießen.

☐ Bei einem Talentwettbewerb mitmachen.

HÄ?

Bau dir deine eigene
ZEITKAPSEL

In Jahrhunderten wird man wissen wollen, wie du gelebt hast. Was hast du angehabt? Was hast du gelesen? Was hast du zum Spaß gemacht?

Pack alles, was den Menschen der Zukunft einen Eindruck von dir gibt, in eine Kiste. Schreib den Inhalt hier in die Liste und vergrab die Kiste, wo keiner sie findet!

1.

2.

3.

4.

5.

6.

7.

8.

Der BESTE WITZ, den du je gehört hast

Fünf Dinge, die
KEINER über dich weiß

WEIL KEINER GEFRAGT HAT

1.

2.

3.

4.

5.

ICH KANN DEN GANZEN FUSS IN DEN MUND STECKEN!

DU BIST JA WIDERLICH!

Dein SCHLIMMSTER ALPTRAUM

Regeln für deine

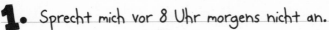

1. Sprecht mich vor 8 Uhr morgens nicht an.

2. Setzt mich beim Spaghetti-Essen nicht neben meinen kleinen Bruder.

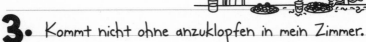

3. Kommt nicht ohne anzuklopfen in mein Zimmer.

4. Meine Unterwäsche ist absolut tabu.

FAMILIE

1.

2.

3.

4.

Die WAHRHEIT über deine

Wem vertraust du
ein Geheimnis an? _____

Mit wem würdest du dir
ein Zimmer teilen? _____

Wen würdest du bitten,
dir Klamotten zu kaufen? _____

Wen würdest du bitten,
dir die Haare zu schneiden? _____

Wer ist der
schlechteste Lügner? _____

Wer leugnet seine Fürze und
gibt anderen die Schuld? _____

Wer leiht sich Dinge und
gibt sie nicht wieder? _____

KLASSENKAMERADEN

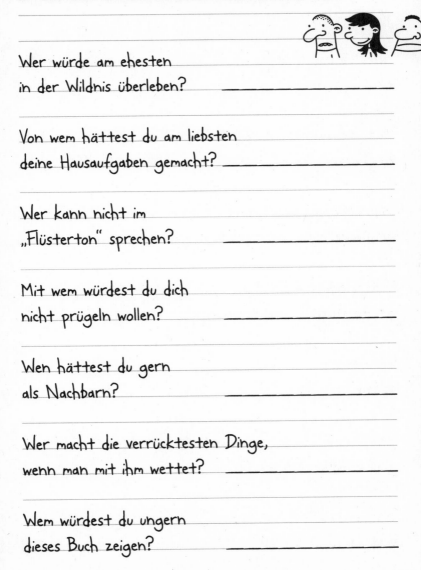

Wer würde am ehesten
in der Wildnis überleben? _____

Von wem hättest du am liebsten
deine Hausaufgaben gemacht? _____

Wer kann nicht im
„Flüsterton" sprechen? _____

Mit wem würdest du dich
nicht prügeln wollen? _____

Wen hättest du gern
als Nachbarn? _____

Wer macht die verrücktesten Dinge,
wenn man mit ihm wettet? _____

Wem würdest du ungern
dieses Buch zeigen? _____

Dein Leben

Wie viele Tage hast du es schon ohne zu baden geschafft?

_____

 Wie viele Schüsseln Müsli hast du schon auf einmal verdrückt? _____

Wie viele Tage hast du schon Hausarrest gekriegt? _____

Wie lange hast du schon mal an einem Schultag verschlafen?

_____

 Wie oft bist du von Hunden gejagt worden?

_____

Wie oft warst du schon daheim ausgesperrt?

_____

in Zahlen

Wie oft hast du nachts noch
Hausaufgaben machen müssen?

Wie viel Geld hast du schon mal gespart? _____

Das kürzeste Buch, das du je für
eine Buchbesprechung ausgesucht hast:

_____

Wie weit bist du schon mal
zu Fuß gelaufen? _____

Wie lange hast du schon mal ohne Fernsehen verbracht?

Wie oft bist du schon
beim Nasebohren erwischt
worden?

Wie oft bist du NICHT
beim Nasebohren erwischt
worden?

Dein Leben

Wie alt warst du, als du
Fahrradfahren gelernt hast?

Wie lange warst du schon
mal von zu Hause weg?

_____

Wie viele Stunden siehst du
täglich fern?

_____

Wie alt würdest du sein wollen,
wenn es für immer wäre?

_____

Wie oft hast du deinen Lieblingsfilm gesehen?

_____

Wie oft bist du schon geflogen?   _____

in Zahlen

Wie oft hast du an einem Tag
Fast Food gegessen?

_____

Wie viele Länder hast du
schon besucht?

Wie viele Haustiere hast du
gleichzeitig gehabt? _____

Wie viele Löcher hat dir der
Zahnarzt auf einmal gebohrt?

_____

Wie lange musstest du schon in einer Schlange warten?

_____

Wie geht der

Kleiner Putzi

„ Mami, ist mein Bleistift jetzt im Himmel? "

Kleiner Putzi

COMIC weiter?

Kleiner Putzi

99 _____ 66

Kleiner Putzi

99 _____ 66

COMICS

SELBER machen

,,

``

Dein eigener
COOLER SPRUCH

Ab und zu sagt einer in einem Film oder im Fernsehen einen coolen Spruch, und plötzlich sagen ihn ALLE. Jetzt kannst du dir deinen EIGENEN coolen Spruch ausdenken, auf T-Shirts drucken und richtig absahnen.

BONUS: Druck dir noch einen coolen Spruch auf eine Mütze!

Falls du das GEDÄCHTNIS verlierst

In Filmen kriegen Leute oft einen Schlag auf den Kopf und vergessen dann, wer sie sind und wie sie heißen. Falls dir das je passiert, schreib dir hier die wichtigsten Fakten über dich auf, damit du schneller dein Gedächtnis wiedererlangst!

1.

2.

3.

4.

ICH SCHLAFE AM LIEBSTEN IN ROTEN STRUMPF-PYJAMAS!

Die ERSTEN VIER GESETZE, die du machst, wenn du Präsident bist

1.

2.

3.

4.

„ Ich verkünde hiermit, dass kein Schüler gezwungen sein soll, nach dem Sport zu duschen. **"**

Das SCHLIMMSTE, das du je angestellt hast, als du klein warst.

Bohrende

Hast du schon mal etwas
aus dem Müll gegessen?
JA ☐ NEIN ☐

Wo gibt es deiner Meinung nach
die besten Fritten?

_____

Was würdest du nie wieder
probieren wollen?

_____

Was würdest du dich gerne
trauen?

_____

Wenn du einen Feiertag
abschaffen könntest,
welcher wäre das?

_____

FRAGEN!

Wie alt sollte man sein,
um ein Handy zu bekommen?

_____

Was ist die langweiligste Sportart
im Fernsehen?

_____

Wenn du in einem Laden
alles kaufen könntest,
welcher Laden wäre das?

_____

Wenn jemand deine Lebens-
geschichte schreiben würde,
wie würde sie heißen?

_____

_____

_____

**Der süße Duft des
ERFOLGS**

Das Leben von
Greg Heffley

Deine UNTER-SCHRIFT üben

Eines Tages wirst du berühmt sein, also ... seien wir ehrlich, deine Unterschrift kann noch besser werden. Auf dieser Seite kannst du deine schicke neue Signatur üben und üben und üben ...

Deine
VERLETZUNGEN

Ein paar Fragen

Glaubst du an Einhörner?

Wenn du ein Einhorn triffst,
was würdest du es fragen?

Hast du jemals ein Bild gemalt,
das so gruselig war, dass du
Alpträume gekriegt hast?

Wie oft in der Woche
schläfst du bei deinen
Eltern im Bett?

von RUPERT

Hast du schon mal ganz alleine deine Schuhe zugebunden?

Hast du schon mal Kirschlabello geknabbert, bis dir schlecht wurde?

Beneiden dich deine Freunde, weil du so gut hüpfen kannst?

Entwerfe dein

Sobald du berühmt bist, werden sie Sachen nach dir benennen. Wer weiß, vielleicht gibt es in einigen Jahren ein Sandwich, das nach dir benannt ist. Also kannst du dir schon mal darüber Gedanken machen, wie die Zutaten aussehen sollen.

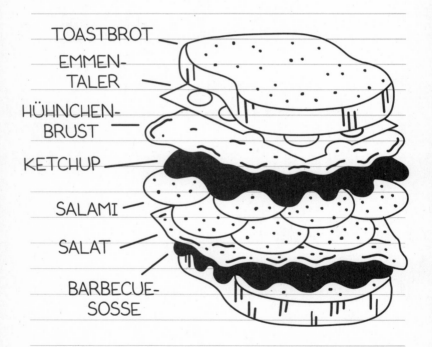

TOASTBROT

EMMEN-
TALER

HÜHNCHEN-
BRUST

KETCHUP

SALAMI

SALAT

BARBECUE-
SOSSE

„DER RUPERT"

eigenes
SANDWICH

Stelle dein eigenes Sandwich zusammen:

↓

Deine größten

1. Meinem großen Bruder zu glauben, dass in der Schule „Pyjama-Tag" ist.

2. Eine Wette anzunehmen, die sich nicht gelohnt hat.

3. Timmy Brewer meine leere Limo zu schenken.

FEHLER aller Zeiten

1.

2.

3.

Erfinde deinen

VEREINSNAME: VANCOUVER WALDORF

STADT: VANCOUVER

SPORTART: FOOSBALL

LOGO:

MASKOTTCHEN:

↑

HIER HINZEICHNEN

eigenen
SPORTVEREIN

AUFSTELLUNG

NAME   POSITION

1.

2.

3.

4.

5.

TRIKOT:

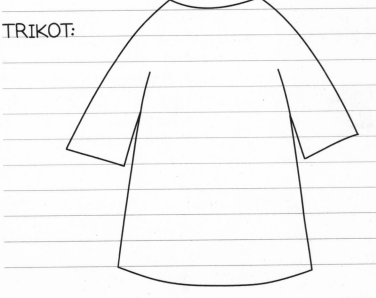

Wie geht der

Zottel, der Trottel

COMIC weiter?

Zottel, der Trottel

COMICS

SELBER machen

RODRICKS

INTELLIGENZTEST

Mit diesem Irrgarten kannst du feststellen, ob du intelligent oder bescheuert bist.

START

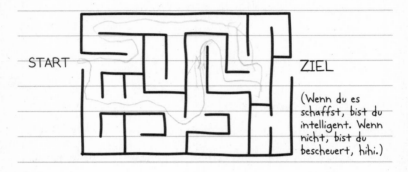

ZIEL

(Wenn du es schaffst, bist du intelligent. Wenn nicht, bist du bescheuert, hihi.)

Halte das Buch vor einen Spiegel und lies diesen Satz so laut, wie du kannst:

ICH BIN EIN VOLLIDIOT.

Welcher Buchstabe fehlt?

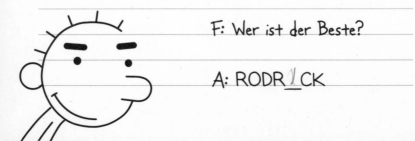

F: Wer ist der Beste?

A: RODR_I_CK

Spaß-Seiten

Beantworte diese Frage <u>nur</u> mit JA oder NEIN:

Schämst du dich, dass du heute
in die Windel gemacht hast?

_____

Du willst eine Band gründen. Pech für dich, denn der
beste Bandname ist schon besetzt, nämlich Folle Vindl.
Aber du kannst dir trotzdem mit dieser Tabelle einen
Namen mixen:

ERSTES WORT	ZWEITES WORT
Böhse	Onkelz
Fieze	Tanten
Prutale	Zweine
Krosse	Kodze
Killer	Dollche
Tollwütike	Stinnker

PS: Wenn du einen dieser Namen benutzt,
krieg ich hundert Kröten.

Gründe deine

BANDNAME: _____

GENRE: _____
(ROCK, POP, RAP, REGGAE ETC.)

LOGO →

_____

LEADSÄNGER: SCHLAGZEUGER:

LEADGITARRIST: BASSIST:

84

eigene BAND

Entwirf das Plakat für euer erstes Konzert!

Schreib deinen

VINDL HAMMER von Rodrick Heffley

Wir rocken deine Boxen
und knallen durch deine Stadt
wir stören deinen Gehörgang
bis jeder Durchfall hat!

Wir donnern und wummern
und keiner hält uns auf!
Dein Hirn verwandelt sich zu Brei
und läuft dein Ohr hinaus!

Das ist der Hammer!
Der Vindl Hammer!
Und es wird gleich was passieren,
ja, wir werden explodieren!

Das ist der Hammer!
Der Vindl Hammer!
Und es wird jetzt eisenhart,
denn Folle Vindl ist am Start!

Das Thermometer steigt jetzt
wie ein gekochtes Ei
Wir rocken deinen Pausenhof,
wenn du uns hören kannst, schrei!

Das ist der Hammer!
Der Vindl Hammer!
Und du warst nicht mehr so bedient
seit letztem Halloween!

ersten SONG ♫♩♩♫♩

Designe euren

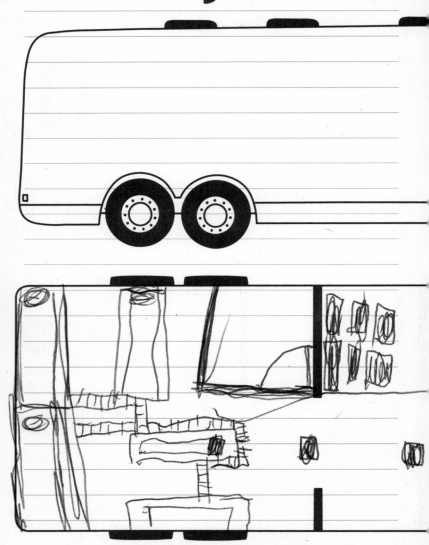

NICHT VERGESSEN: STOCKBETTEN, SOFAS, KÜCHE, BAD, FERNSEHER UND WAS DU SONST NOCH UNTERWEGS BRAUCHST!

TOUR-BUS

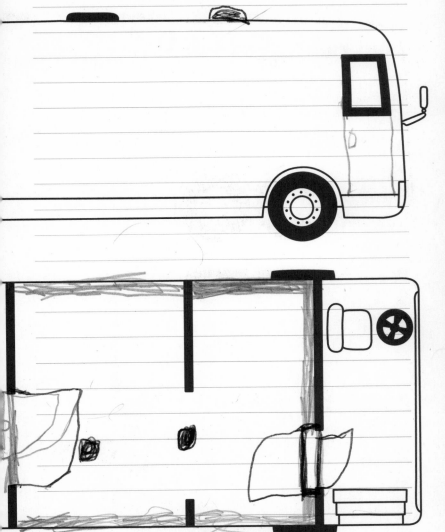

Plane die ultimative

Wen nimmst du mit?

★ PETS
★ MAMA
★ DADDY
★

Was nimmst du mit?

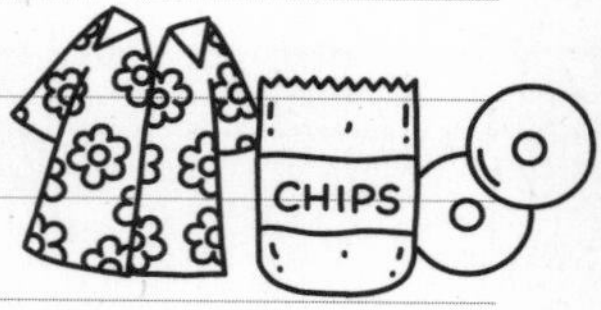

★ FEIL   ★
★ MEHR   ★
★   ★
★   ★

CHIPS

Musik für unterwegs

★   ★
★   ★
★   ★
★   ★

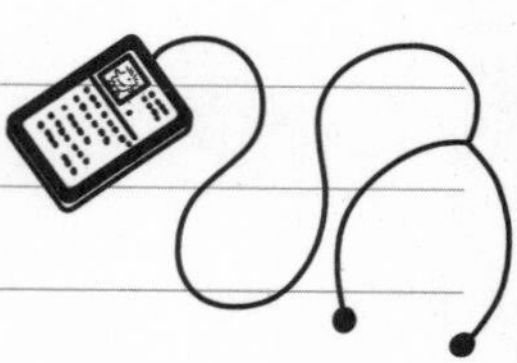

WELTREISE

Wo willst du hin?

★ BERLIN - 2 WOCHEN   ★ TORONTO - 4 TAGE
★ MOSCOW - 7 TAG   ★ JASPER - 1 TAG
★ BEILING - 3 TAGE ★
★ SHANGHAI 3 TAGE ★

Plane deine Route

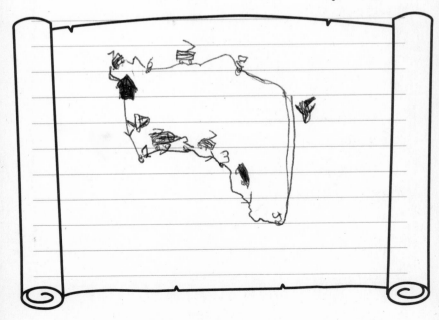

Was du in deiner

Wenn du eines Tages berühmter Popsänger oder Filmstar bist, musst du wissen, was du alles in deiner Umkleide brauchst.

```
Greg Heffleys Besorgungsliste - Seite 1 von 9


3 Liter Spezi

2 große Salamipizzen

2 Dutzend frisch gebackene Schokokekse

1 Schüssel Gummibärchen (ohne grüne und gelbe)

1 Popcornmaschine

1 52-Zoll-Flachbildfernseher

3 Spielkonsolen mit je 10 Spielen

1 Softeismaschine

10 Eiswaffeln

1 Frottee-Bademantel

*** Kloschüssel mit Sitzheizung

*** Markenklopapier (kein Discounter)
```

UMKLEIDE brauchst

Fang also lieber schon mal an, bevor es zu spät ist und du zu beschäftigt bist.

Wie gut kennst du

Schreibe deine Antworten auf einen Zettel und lass dann deinen Freund seine Antworten ins Buch eintragen. Zähle zusammen, wie oft du richtigliegst.

NAME DEINES FREUNDES: _____

Hat dein Freund schon mal
ins Auto gekotzt? _____

Welchen Promi würde dein Freund
gerne treffen? _____

Wo wurde dein Freund geboren? _____

Hat dein Freund schon mal so sehr gelacht,
dass ihm Milch aus der Nase kam? _____

Ist dein Freund schon mal zum Direktor
geschickt worden? _____

9-10: DIREKT UNHEIMLICH, WIE GUT DU DEINEN FREUND KENNST.
6-8: NICHT SCHLECHT ... DU KENNST DEINEN FREUND GANZ GUT!

deinen FREUND?

Welche Snacks isst dein Freund
am liebsten?

Hat sich dein Freund schon mal
etwas gebrochen?

Wann hat dein Freund das letzte Mal
ins Bett gemacht?

Wenn dein Freund sich für immer in ein Tier
verwandeln müsste, in welches?

Hat dein Freund heimlich Angst
vor Clowns?

Vergleicht jetzt eure Antworten und zählt
die richtigen zusammen.
Schaut dann in der Tabelle unten nach.

2-5: IHR KENNT EUCH NOCH NICHT SO LANGE, ODER?
0-1: IHR BRAUCHT VIELLEICHT NEUE FREUNDE.

Der Freundschafts-

Willst du wissen, ob dein Freund und du zusammen-
passen? Sieh dir die Paare unten an und umkringele,
was du lieber magst.

EIGNUNGSTEST

Gib deinem Freund dann dieselbe Liste zum Ankreuzen.
Wie ähnlich seid ihr euch?

Wenn du ZEIT-

Wenn du in die Vergangenheit reisen und
die Welt verändern könntest, aber nur
5 Minuten hättest – wo würdest du hin?

Welches Ereignis würdest du miterleben wollen,
wenn du in die Vergangenheit reisen könntest?

Welches Zeitalter würdest du dir aussuchen, wenn du
in der Vergangenheit leben müsstest?

REISEN könntest ...

Welches Ereignis aus deinem Leben würdest du filmen, wenn du zeitreisen könntest?

Welche Botschaft würdest du dir in die Vergangenheit schicken?

Welche Botschaft würdest du dir in die Zukunft schicken?

DIESE SOCKEN SEHEN TOTAL BESCHEUERT AUS!

PAH!

Megacoole

Der Steh-auf-einem-Bein-Streich

SCHRITT EINS: Auf dem Heimweg von der Schule wettest du mit einem Freund, dass er es nicht schafft, drei Minuten auf einem Bein zu stehen, ohne etwas zu sagen.

DAS IST VOLL EINFACH!

SCHRITT ZWEI: Während dein Freund auf einem Bein steht, klopfst du bei einem fiesen Nachbarn ganz fest an die Tür.

KLOPF KLOPF KLOPF

SCHRITT DREI: Abhauen.

WAS WILLST DU DENN?

HUSCH

STREICHE

Ein Streich, den du einem Freund gespielt hast:

Ein Streich, den du einem
Familienmitglied gespielt hast:

Ein Streich, den du einem Lehrer gespielt hast:

Zeichne dein Zimmer

im jetzigen Zustand.

Wie geht der

Pupspolizei im Einsatz

Eines Abends in der Vorstadt...

PUPS!

PUPSPOLIZEI!

Sie sind verhaftet!

Ich war's nicht! Es war ... meine TOCHTER!

Mädchen pupsen nicht. Wussten Sie das nicht?

Pech gehabt, Freundchen.

COMIC weiter?

Pupspolizei im Einsatz

COMICS

SELBER machen

Deine schrägsten Ideen

MUNDGERUCHABWEHRGERÄT

VENTI-LATOR

REISSFESTES GUMMIBAND

HHHHHEFFLEY, HHHHAST DU DEINE HHHHAUSAUFGABEN?

WHIRR

TIERSPRACHENÜBERSETZER

KOPFHÖRER

SPRACHCOM-PUTER

MIKRO-FON

WUFF! WUFF! WUFF!

HALLO! HALLO! HALLO!

LUTSCHSTICK

NUDELHOLZ MIT CHIPSGESCHMACK BESCHICHTET

(GESCHMACKS-RICHTUNGEN PAPRIKA, TACO UND BARBECUE)

LECK

für neue Erfindungen

SCHREIBE DEINE EIGENEN COOLEN
ERFINDUNGEN AUF, DAMIT DU BEWEISEN
KANNST, DASS ES DEINE IDEEN WAREN.

Entwerfe deine
eigenen SCHUHE

Promi-Sportler haben extra für sie entwickelte Schuhe
– jetzt kannst du das auch!
Entwerfe einen Basketballschuh und einen Turnschuh,
der zu dir passt.

AUSREDEN-ZUFALLSGENERATOR

Hausaufgaben vergessen? Zu spät zur Schule gekommen? Dieser Ausredengenerator hat die passende Antwort auf jede Notlage. Such dir einfach aus jeder Spalte etwas Passendes aus!

Meine Mutter hat	meine Hausaufgaben	zerrissen
Mein Hund hat	meinen Bus	verschluckt
Mein kleiner Zeh hat	mein Schlafzimmer	zertrampelt
Ein Fremder hat	meine Anziehsachen	verletzt
Das Klo hat	mein Pausenbrot	geklaut
Eine Kakerlake hat	ihr Geld	verloren

DAS KLO HAT MEIN PAUSENBROT VERLETZT!

Zeichne eine Karte deiner

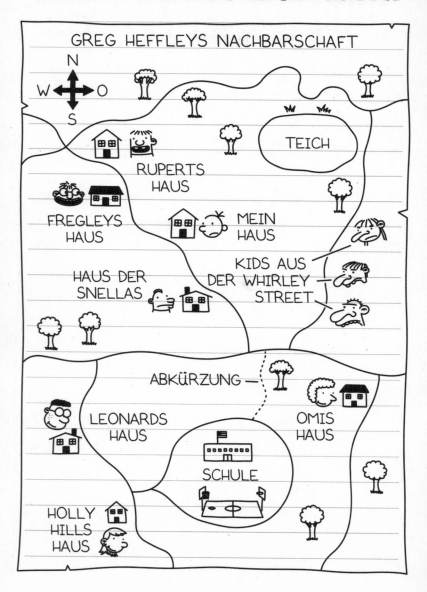

NACHBARSCHAFT

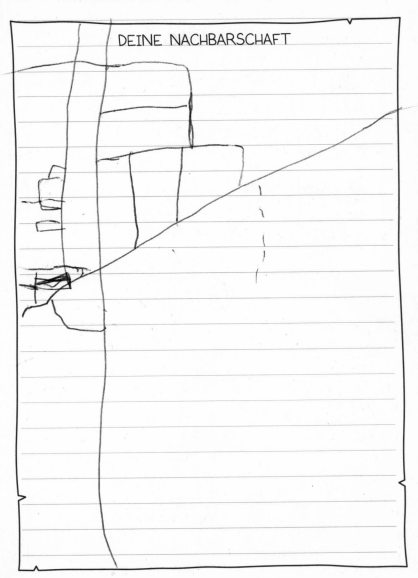

DEINE NACHBARSCHAFT

Grußkarten

VORDERSEITE

Liebe Tante Käthe,

VIELEN DANK

für die schönen Strümpfe,
die du mir gestrickt hast.

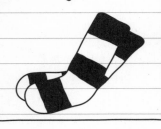

INNENSEITE

Aber könntest du das nächste
Mal einfach Bargeld schicken?

VORDERSEITE

Tut mir leid,

dass es mit dir und Lindsey
nicht geklappt hat.

INNENSEITE

PS: Kannst du
rausfinden, ob sie
mich „süß" findet?

selber machen

VORDERSEITE

INNENSEITE

VORDERSEITE

INNENSEITE

Dein BESTER URLAUB
überhaupt

Wie geht der

Xtreme Sk8ter

COMIC weiter?

Xtreme Sk8ter

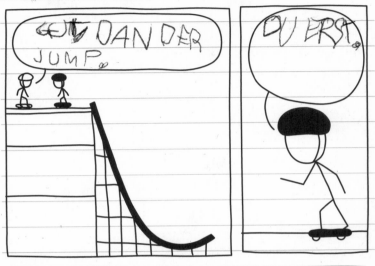

COMICS

SELBER machen

Entwirf deine eigene

GEISTERBAHN

Wenn du

Wenn du Gedanken lesen könntest, würdest du das wirklich wollen?

JA ☐ NEIN ☐

Wenn du ein Superheld wärst, würdest du einen Gehilfen haben wollen?

JA ☐ NEIN ☐

SUPERKRÄFTE hättest ...

Wenn du ein Superheld wärst, würdest du das geheim halten?   JA ☐   NEIN ☐

Würdest du einen Röntgenblick haben wollen, wenn du ihn nicht abschalten könntest?   JA ☐   NEIN ☐

Zeichne deine FREUNDE

so, wie Greg Heffley zeichnet

Ein paar Fragen

Hast du jemals etwas zum Naschen
in deinem Bauchnabel aufbewahrt?

Sprechen Tiere manchmal in Gedanken zu dir?

Hat der Schulpsychologe dich schon mal
„unberechenbar und gefährlich" genannt?

von FREGLEY

Wenn du einen Schweif hättest, was würdest du damit machen?

Hast du schon mal Wundschorf gegessen?

Willst du „Windelpeitschen" spielen?

Bist du schon mal wegen „mangelnder Körperhygiene" von der Schule heimgeschickt worden?

NÄCHSTES MAL MUSST DU DICH BESSER ABWISCHEN, FREGLEY.

Entwerfe deine eigene

Hier kannst du dein ultimatives Turnier ausdenken und den Sieger gleich mitbestimmen. Das geht so: Denke dir zuerst ein Thema aus (Filmbösewichte, Starsportler, Trickfilmfiguren, Bands, Frühstücksgerichte, Fernsehserien etc.)

Trage dann in jede Zeile eins davon ein. Suche dir den Sieger der Zweikämpfe aus. Der Sieger kommt dann weiter.

RUNDE 1

1.

RUNDE 2

2.

RUNDE 3

3.

GE

4.

MEISTERSCHAFT

Beispiel: In einem Turnier der Frühstücksgerichte
wählst du Müsli statt Eiern. Also kommt das Müsli in
die nächste Runde.

1. MÜSLI

MÜSLI

2. EIER

Im Finale bleiben nur noch zwei Einträge übrig. Dann
musst du nur noch entscheiden, welcher von den beiden
dir besser gefällt. Das ist
dein Sieger!

RUNDE 1

RUNDE 2

5.

RUNDE 3

6.

EN

7.

8.

Autogramme

HIER KÖNNEN DEINE
FREUNDE IN DEIN
BUCH SCHREIBEN:

Autogramme

Was siehst du in diesen

Sieh dir diese Tintenkleckse an und schreibe auf, was du siehst. Benutze deine Fantasie! Was du siehst, erzählt dir etwas über dich ... aber nur du entscheidest, was es ist!

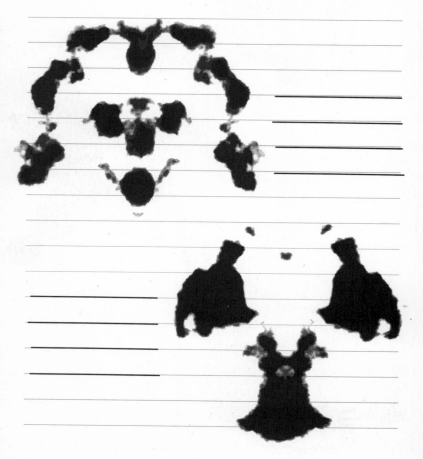

KLECKSEN?

ZWEI TEN-NIS-SPIELEN-DE SCHILD-KRÖTEN!

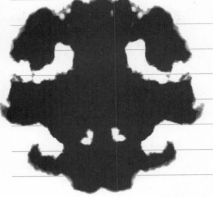

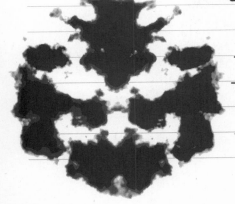

Das ERSTE KAPITEL

Kapitel Eins
MEINE KINDHEIT

Ich wurde am 24.02.22 in VANCOUER
geboren. Ich war 50 cm groß und wog 3,915 kg.
Ich sah aus wie ein SEE OTTER .
Die ersten Lebensmonate habe ich vor allem
GENUCKELT und MAMA MICHSCHUCKELN LASS
bis ich 3 Monate alt war. Da begann ich zu
SCHLAFEN .

Von früh an konnte ich sehr gut "MAMA" SAGEN
aber ich konnte nie wirklich gut WIE LSCHNIELESSEN
Ich habe sehr gerne CHIA
gegessen, aber BROKOLIE mochte ich nie.

Als ich 5 wurde, habe ich mich für
BAOARBEITEN interessiert, aber als ich
7 wurde, hat mich das gelangweilt. Statt-
dessen wollte ich DEDECKTIEV SEIN

deiner MEMOIREN

Als kleines Kind hatte ich keine Angst
_____, aber fürchtete mich vor
_____.

Bis heute vermeide ich _____.

Als ich klein war, hieß mein(e) beste(r) Freund(in)
_____, der/die heute als
_____ in _____ arbeitet.

Meine beste Geburtstagsfeier hatte ich mit _____
Jahren, als ich von _____
ein(e/n) _____ bekam.

Meine Lieblingssendung im Fernsehen war _EN_
_____, und wenn ich nicht vor dem
Fernseher saß, konnte ich stundenlang _____.

Als Kleinkind haben mir alle gesagt, eines Tages
würde ich _____.
Wer konnte wissen, dass ich in Wirklichkeit
_____ werden würde?

HEISSA, MAMA

von Rupert

Entschuldigung, dürfte ich mal Ihren Hals sehen?

Ja, aber wieso?

Weil ich ein Vampir bin!

BEISS

HEISSA, MAMA!

Wahnsinn! Ich habe gerade geträumt, ich wäre lebendig begraben!

Oh weh! Ich bin **wirklich** lebendig begraben!

R.I.P.

HEISSA, MAMA!

Mit meinem Klongewehr kann ich alles klonen!

Ach, so ein Quatsch.

ZAPP

HEISSA, MAMA!

Georg, die GRÜNE BOHNE

von Fregley

Georg ist ein ganz normaler Schüler, der zufällig eine grüne Bohne ist.

Georg (Originalgröße)

Georgs Klassenkameraden machen ihn immer fertig, weil er so klein ist.

> He, das ist mein Platz!

> Da steht nirgends dein Name drauf.

> Gleich ist da ein kleiner grüner Klecks drauf.

Georg bewirbt sich für die Footballmannschaft, aber viel Erfolg hat er nicht.

> Seht mal, was mir aus der Nase hängt, Jungs!

> Lass mich los, du Rüpel!

HA HA HA

HA HA HA

Sogar die Lehrer veräppeln Georg manchmal.
Deine Probe war gar nicht schlecht, Erbsenhirn.
Wenn sie mich Erbse nennen, finde ich das gar nicht lustig.
Das interessiert mich nicht die Bohne.
Eines Tages kommt Georg ein Gedanke, der ihn glücklich macht.
Ich bin zumindest etwas Besonderes: Ich bin die erste Bohne auf dieser Schule.
Tut mir leid, Georg. Sieh dir dieses alte Jahrbuch an.
JAHRBUCH
?
Gordon
Mannschaftskapitän
Schulsprecher
Einserschüler
Menno.

ZOTTEL, DER KOMIKER

von Greg Heffley

MEIN ERSTER WITZ GEHT SO: KLOPF, KLOPF.

WER IST DA?

HIER IST „ZOTTEL". WITZIG, ODER?

NEIN, IST ES NICHT. DAS IST NICHT MAL EIN RICHTIGER WITZ.

UPS. ICH FAND DEN WITZIG.

O.K., ICH WEISS EINEN WITZ. FRITZCHEN ... GEHT ZUM ARZT ... MIT EINER BLONDINE ... UND ... UPS. DEN HAB ICH VERMASSELT.

DEINE WITZE SIND FURCHTBAR!

JUSTIN

mit den
UNHEIMLICH
ROTEN LIPPEN

VON GREG HEFFLEY

DIE PUPSPOLIZEI IM EINSATZ

von Greg Heffley

GLÜCKWUNSCH ZUM ABITUR

Wir sind so stolz auf dich, Rudi!

Danke, Tante Lydia!

Hoppla!

DRÜCK

PUUP

PUPSPOLIZEI!

Sie sind verhaftet!

Es war nicht meine Schuld! Meine Tante hat ihn rausgequetscht!

Erzähl's dem Richter, Junge.

KLICK

PUPSPOLIZEI! Hoch mit den Flossen.

Ich dachte, auf dem Klo darf man pupsen.

Unwissenheit schützt vor Strafe nicht.

KLICK

NÄCHSTE WOCHE: DIE PUPSPOLIZEI IM FESTZELT

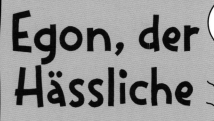

Egon, der Hässliche

von Greg Heffley

ACTION FIGHTER von Rupert

Georg, die GRÜNE BOHNE, in

Georg KANDIDIERT

von Fregley

Hey, da ist Georg! Los, wir trampeln ihn platt!

Nee, ich will keine Bohnenpampe an meinem Schuh.

Har har har!

Mir reicht's mit diesen Volltrotteln. Irgendwie muss ich Macht über sie erlangen ... Aber wie?

HEUTE SCHULSPRECHERWAHLEN

Oho, was haben wir denn da?

HIER GEHT'S WEITER! ➡

Georg, die GRÜNE BOHNE, in
GEORGS RACHE

von Fregley

Eines Tages erhält Georg Post ...

Was kann das sein?

Lieber Georg,

du bist ausgewählt, die Bohnwarts Schule für Hexerei und Zauberei zu besuchen!*

* Keine Ähnlichkeit mit der Hogwarts Schule für Hexerei und Zauberei

Nehmt das, ihr Halunken!

AAAHHHHHHHH!

ZAP

Hmm...

Wauwau Witze — *von Eldridge Perro*

MEIN HERRCHEN WOLLTE MIT MIR IM PARK SPAZIERENGEHEN.

ABER ICH BIN JETZT SCHON ...

„HUNDEMÜDE".

Büro Brummer — *von Bert Salas*

HIER SIND DIE KOPIEN DER BERICHTE, DIE SIE WOLLTEN, CHEF!

DANKE, ABER WIESO BRAUCHST DU DREI WOCHEN FÜR 100 FOTOKOPIEN?

ACH, SIE WOLLTEN FOTOKOPIEN? ICH HABE SIE MIT DER HAND ABGESCHRIEBEN!

PLUMPS

Ach, Opi! — *von Beverly Bliss*

SCHAU, OPI, UM DEN COMPUTER ZU BEDIENEN, BENUTZT DU DIESE MAUS!

WAS UM HIMMELS WILLEN? ICH WERDE DOCH KEIN UNGEZIEFER IN DIE HAND NEHMEN! SOLL DAS MODERN SEIN?

ACH, OPI!

Ruperts Tagebuch

Von lieben, netten Kindern umzingelt

von Rupert Jefferson

Liebes Tagebuch,

heute habe ich mein ganzes Taschen-
geld für ein Geschenk für Greg ausge-
geben. Er ist mein allerbester Freund
auf der ganzen Welt, deshalb habe ich
uns beiden ein Freunde-Amulett ge-
kauft, damit es alle sehen können.

Aber Greg mag wohl keinen Schmuck.
Trotzdem werde ich meine Hälfte tragen.

Ob Greg immer noch sauer ist wegen
Samstag, als ich bei ihm übernachtet
habe?

Er hat mich im Bad ertappt, wie ich seine Spange anprobiert habe, und hat mich zehn Minuten lang angebrüllt.

Manchmal verliert Greg die Geduld und sagt schlimme Sachen zu mir, aber das macht mir nicht so viel aus. Ich weiß immer noch, dass ich ein lieber, netter Junge bin. Das sagen mir meine Eltern nämlich immer.

Liebes Tagebuch,

ich bin echt froh, so einen guten Freund wir Greg zu haben, er gibt mir näm- lich immer Tipps in der Schule. Heute hat er mir zum Beispiel gesagt, die Mädchen- und Jungenumkleiden in der Turnhalle sind falsch beschriftet.

Aber da hat sich Greg wohl irgendwie vertan.

Ich musste ins Direktorat. Danach habe ich Greg erklärt, dass die Türen doch nicht falsch beschriftet sind.

Greg passieren öfters solche Fehler. Letztes Jahr hat er mir gesagt, morgen ist Pyjamatag in der Schule, aber da hat er sich auch getäuscht.

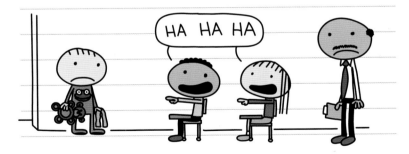

Zum Glück hat Greg vergessen, seinen Pyjama anzuziehen, deshalb ist ihm wenigstens das erspart geblieben.

Manchmal ist Greg ein bisschen mür-
risch, aber mir fällt immer etwas ein,
um ihn aufzuheitern.

Jetzt weißt du, warum Greg und ich so
gute Freunde sind. Wir bleiben nämlich

Dein COVER selber machen

TAGEBUCH
von

DEINE
Geschichte

Auf den restlichen Seiten kannst du deine eigenen
Memoiren oder einen Roman schreiben, Comics
zeichnen oder deine Lebensgeschichte aufschreiben.

Was auch immer du damit anfängst: Wenn du damit
fertig bist, musst du dieses Buch unbedingt an einem
sicheren Ort aufbewahren.

Denn wenn du reich und berühmt bist, wird das Ding
ein VERMÖGEN wert sein.

EMERY PL. 4 AM KIRKON

E 17 ST. O

E 15 ST. O

ARBORLYNN DR O

MNT. HWY. O

FERN ST. SONA

CHARLOTE RD 2ON

RUPERT ST 1ON

PH BS EX BAY 30EFF

2OON

N RENFREW ST. O

N GARDEN DR.

COMMERCIAL DR. 2OFF

POWELL ST. 2OFF

MAIN ST. 1OFF

CARRALL ST. O

ABBOTT ST. 1OFF

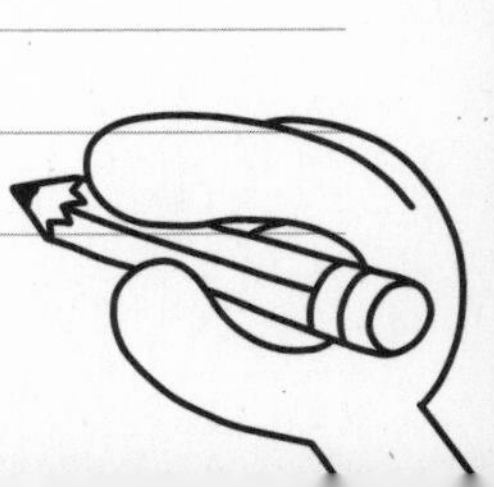

ÜBER DEN AUTOR

(DAS BIST DU)

DANKSAGUNG

(ALLE LEUTE, DENEN DU DANKEN WILLST)